Bonhomme pendu n°1

éditions BRAVO!

© 2005 Mike Ward, Brainteaser Publications pour l'édition originale
© 2009 Les Publications Modus Vivendi inc. pour l'édition française

L'édition originale de cet ouvrage est parue chez Sterling Publishing Co.,
Inc. sous le titre *Hangman # 1*

Publié par les Éditions Bravo!, une division de
LES PUBLICATIONS MODUS VIVENDI INC.
55, rue Jean-Talon Ouest, 2ᵉ étage
Montréal (Québec) H2R 2W8
Canada

www.editionsbravo.com

Directeur éditorial : Marc Alain
Conception de la couverture : Marc Alain

Dépôt légal — Bibliothèque et Archives nationales du Québec, 2009
Dépôt légal — Bibliothèque et Archives Canada, 2009

ISBN 978-2-92372-008-1

Imprimé en Chine

COMMENT JOUER

L'objectif est de remplir les lettres manquantes au bas de la page pour y découvrir le mot mystère. Vous devez deviner le mot mystère en faisant le moins de mauvais choix de lettres possible. Grattez un rond, à votre choix, sous une lettre. Si cette lettre figure dans le mot mystère, on vous indiquera où la placer dans l'ordre numéroté au bas de la page. Mais si vous choisissez une lettre qui n'appartient pas au mot mystère, le Bonhomme pendu vous montrera sa langue et vous devrez tracer une partie du corps sur l'échafaud.

Il y a six (6) parties du corps – deux bras, deux jambes, un corps et une tête. Vous avez donc six chances d'erreurs avant que le Bonhomme ne soit pendu ou pour découvrir le mot mystère.

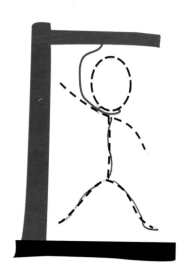

A B C D E F G H

A: [image] E: 2, 7 F: 1

I J K L M N O P Q

I: 4 L: 5, 6 M: [image] O: [image]

R S T U V W X Y Z

U: 3

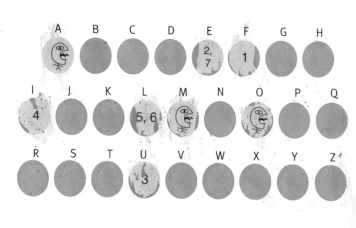

$$\frac{f}{1} \quad \frac{c}{2} \quad \frac{u}{3} \quad \frac{i}{4} \quad \frac{l}{5} \quad \frac{l}{6} \quad \frac{e}{7}$$

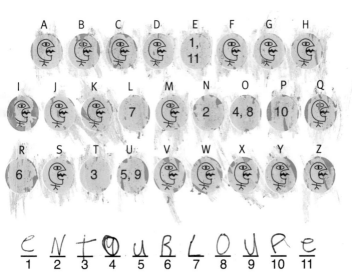

A B C D E 1, 11 F G H

I J K L 7 M N 2 O 4, 8 P 10 Q

R 6 S T 3 U 5, 9 V W X Y Z

e n t 9 u R L O U P e
1 2 3 4 5 6 7 8 9 10 11

5

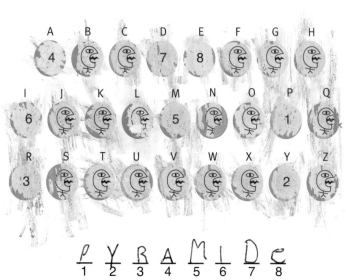

A	B	C	D	E	F	G	H
4			7	8			

I	J	K	L	M	N	O	P	Q
6				5			1	

R	S	T	U	V	W	X	Y	Z
3							2	

P Y R A M I D E
1 2 3 4 5 6 7 8

A	B	C	D	E	F	G	H
6, 8	9			4, 11			

I	J	K	L	M	N	O	P	Q
1			10		2		5	

R	S	T	U	V	W	X	Y	Z
7	3							

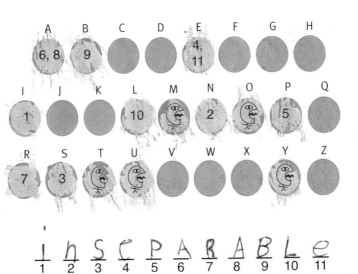

i	h	S	C	P	A	R	A	B	L	e
1	2	3	4	5	6	7	8	9	10	11

7

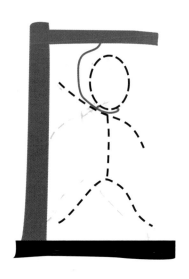

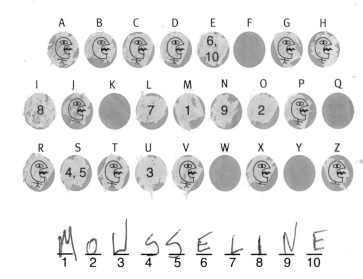

MOUSSELINE

1 2 3 4 5 6 7 8 9 10

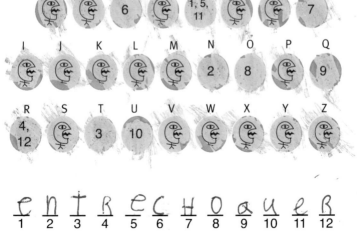

e n t r R e c H O a u e R
1 2 3 4 5 6 7 8 9 10 11 12

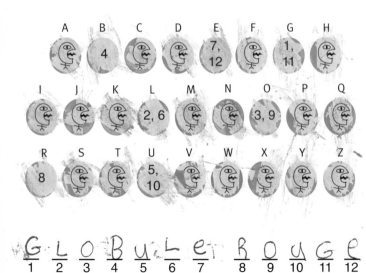

A	B	C	D	E	F	G	H
	4			7, 12		1, 11	

I	J	K	L	M	N	O	P	Q
			2, 6			3, 9		

R	S	T	U	V	W	X	Y	Z
8			5, 10					

G L O B U L E   R O U G E
1 2 3 4 5 6 7   8 9 10 11 12

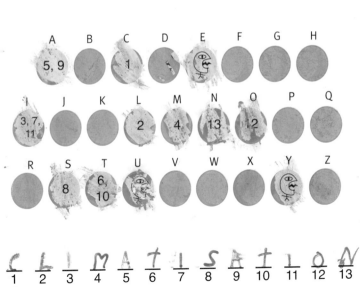

C L I M A T I S A T I O N
1 2 3 4 5 6 7 8 9 10 11 12 13

A B C D E F G H
I J K L M N O P Q
R S T U V W X Y Z

E 2, 6

O 1

5 3 5

O E U X X E
1 2 3 4 5 6

12

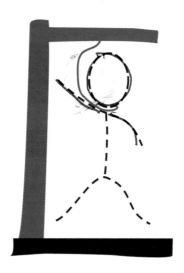

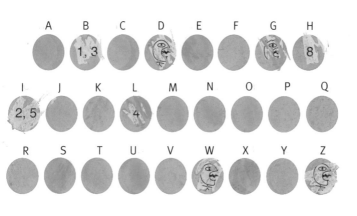

A	B	C	D	E	F	G	H
	1, 3						8

I	J	K	L	M	N	O	P	Q
2, 5			4					

R	S	T	U	V	W	X	Y	Z

B I B L I O T H E Q U E
1 2 3 4 5 6 7 8 9 10 11 12

13

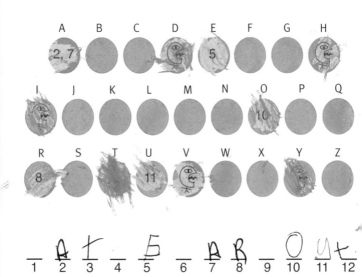

14

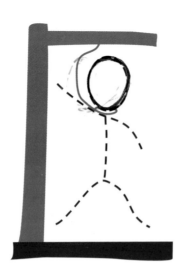

A	B	C	D	E	F	G	H
				2, 4, 8			

I	J	K	L	M	N	O	P	Q
6			3					

R	S	T	U	V	W	X	Y	Z
10	7	1	9	5				

T E L E V I S E U R
1 2 3 4 5 6 7 8 9 10

A	B	C	D	E	F	G	H
				2, 6			

I	J	K	L	M	N	O	P	Q
5					3			

R	S	T	U	V	W	X	Y	Z
7	1	4						

SENTIER
1 2 3 4 5 6 7

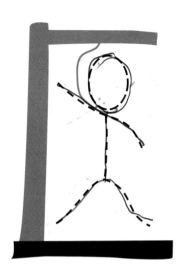

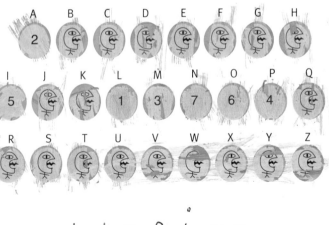

L A M P l o n
1 2 3 4 5 6 7

17

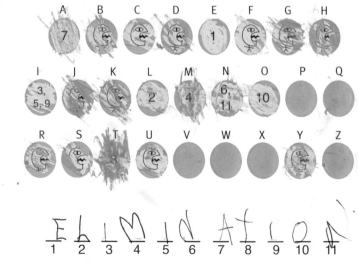

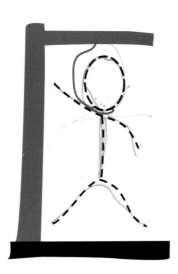

A B C D E F G H
4 5;8 6

I J K L M N O P Q
7 2 1

R S T U V W X Y Z
10 3 9

P O T   D E   F L E U R
1 2 3   4 5   6 7 8 9 10

19

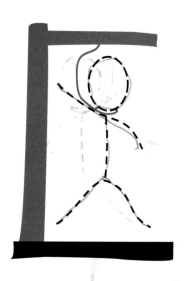

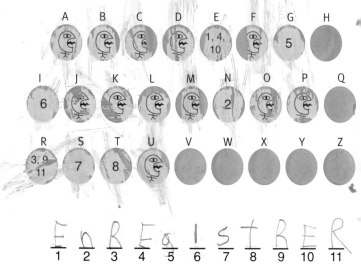

A	B	C	D	E	F	G	H
				1, 4, 10		5	

I	J	K	L	M	N	O	P	Q
6					2			

R	S	T	U	V	W	X	Y	Z
3; 9; 11	7	8						

E N R E G I S T R E R
1 2 3 4 5 6 7 8 9 10 11

20

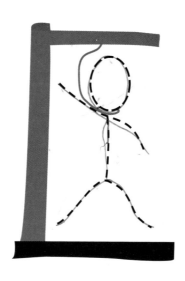

A	B	C	D	E	F	G	H
5				3			

I	J	K	L	M	N	O	P	Q
7					9	1, 8	2	

R	S	T	U	V	W	X	Y	Z
4		6						

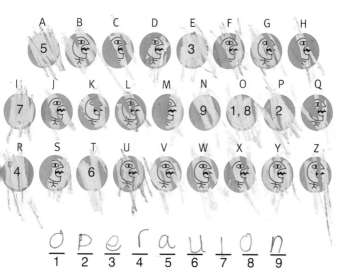

o p e r a u t o n
1 2 3 4 5 6 7 8 9

21

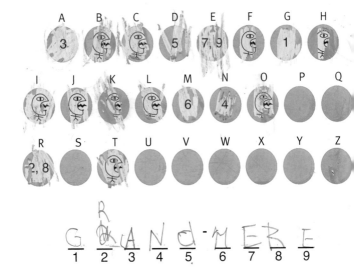

A	B	C	D	E	F	G	H
3			5	7, 9		1	

I	J	K	L	M	N	O	P	Q
				6	4			

R	S	T	U	V	W	X	Y	Z
2, 8								

$$\underset{1}{G} \quad \underset{2}{R} \quad \underset{3}{A} \quad \underset{4}{N} \quad \underset{5}{d} \quad \underset{6}{M} \quad \underset{7}{E} \quad \underset{8}{B} \quad \underset{9}{E}$$

22

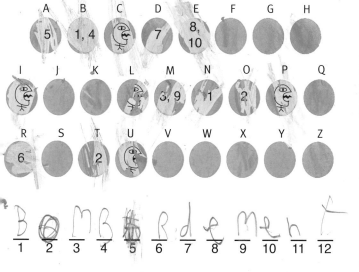

A	B	C	D	E	F	G	H
5	1, 4		7	8, 10			

I	J	K	L	M	N	O	P	Q
				3, 9	1	2		

R	S	T	U	V	W	X	Y	Z
6		2						

B O M B $ R d e M e h
1 2 3 4 5 6 7 8 9 10 11 12

23

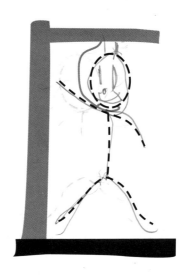

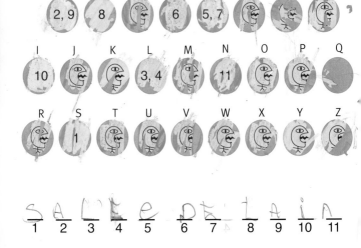

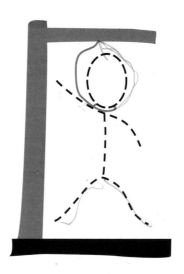

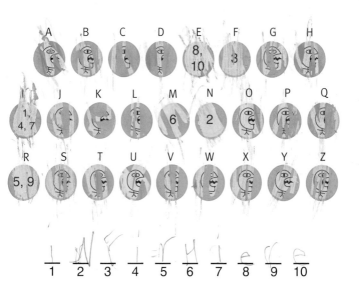

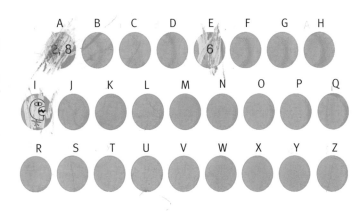

A	B	C	D	E	F	G	H
2, 8				6			

I	J	K	L	M	N	O	P	Q

R	S	T	U	V	W	X	Y	Z

$$\overline{\underset{1}{}} \ \overline{\underset{2}{A}} \ \overline{\underset{3}{}} \ \overline{\underset{4}{}} \ \overline{\underset{5}{}} \ \overline{\underset{6}{E}} \ \overline{\underset{7}{}} \ \overline{\underset{8}{A}} \ \overline{\underset{9}{}} \ \overline{\underset{10}{}}$$

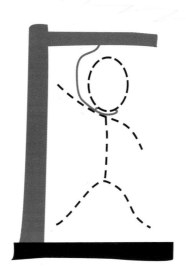

A B C D E F G H

I J K L M N O P Q

R S T U V W X Y Z

$\overline{}_{1}$ $\overline{}_{2}$ $\overline{}_{3}$ $\overline{}_{4}$ $\overline{}_{5}$ $\overline{}_{6}$ $\overline{}_{7}$ $\overline{}_{8}$

27

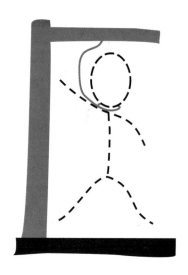

A B C D E F G H

I J K L M N O P Q

R S T U V W X Y Z

$\overline{1}$ $\overline{2}$ $\overline{3}$ $\overline{4}$ $\overline{5}$ $\overline{6}$ $\overline{7}$ $\overline{8}$ $\overline{9}$ $\overline{10}$

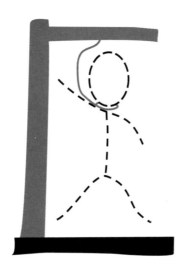

A B C D E F G H

I J K L M N O P Q

R S T U V W X Y Z

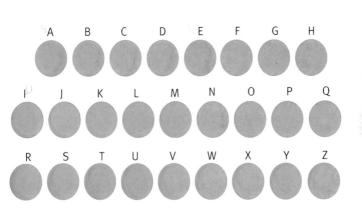

$$\overline{1} \quad \overline{2} \quad \overline{3} \quad \overline{4} \quad \overline{5} \quad \overline{6} \quad \overline{7} \quad \overline{8} \quad \overline{9} \quad \overline{10} \quad \overline{11}$$

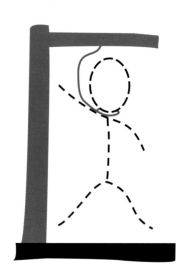

A B C D E F G H

I J K L M N O P Q

R S T U V W X Y Z

$\overline{}$ $\overline{}$ $\overline{}$ $\overline{}$ $\overline{}$ $\overline{}$ $\overline{}$ $\overline{}$
1 2 3 4 5 6 7 8

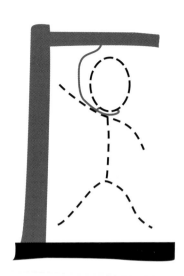

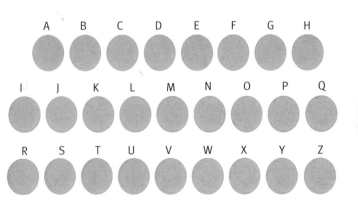

A   B   C   D   E   F   G   H

I   J   K   L   M   N   O   P   Q

R   S   T   U   V   W   X   Y   Z

$\overline{}_{1}$ $\overline{}_{2}$ $\overline{}_{3}$ $\overline{}_{4}$ $\overline{}_{5}$ $\overline{}_{6}$ $\overline{}_{7}$ $\overline{}_{8}$ $\overline{}_{9}$ $\overline{}_{10}$

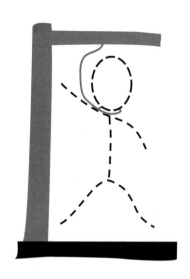

A B C D E F G H

I J K L M N O P Q

R S T U V W X Y Z

$\overline{\rule{1em}{0pt}}$ $\overline{\rule{1em}{0pt}}$ $\overline{\rule{1em}{0pt}}$ $\overline{\rule{1em}{0pt}}$ $\overline{\rule{1em}{0pt}}$ $\overline{\rule{1em}{0pt}}$ $\overline{\rule{1em}{0pt}}$ $\overline{\rule{1em}{0pt}}$ $\overline{\rule{1em}{0pt}}$ $\overline{\rule{1em}{0pt}}$ $\overline{\rule{1em}{0pt}}$ $\overline{\rule{1em}{0pt}}$
1 2 3 4 5 6 7 8 9 10 11 12

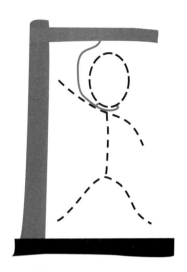

A   B   C   D   E   F   G   H

I   J   K   L   M   N   O   P   Q

R   S   T   U   V   W   X   Y   Z

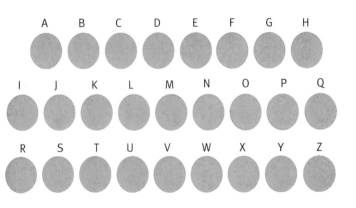

$\overline{}$ $\overline{}$ $\overline{}$ $\overline{}$ $\overline{}$ $\overline{}$ $\overline{}$ $\overline{}$ $\overline{}$ $\overline{}$ $\overline{}$ $\overline{}$
1 2 3 4 5 6 7 8 9 10 11 12

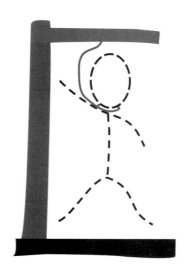

A B C D E F G H

I J K L M N O P Q

R S T U V W X Y Z

—— —— —— —— —— —— —— —— —— —— —— ——
1 2 3 4 5 6 7 8 9 10 11 12

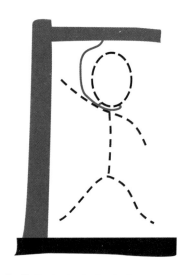

A	B	C	D	E	F	G	H
○	○	○	○	○	○	○	○

I	J	K	L	M	N	O	P	Q
○	○	○	○	○	○	○	○	○

R	S	T	U	V	W	X	Y	Z
○	○	○	○	○	○	○	○	○

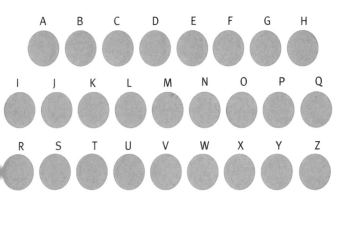

$$\overline{}_1 \quad \overline{}_2 \quad \overline{}_3 \quad \overline{}_4 \quad \overline{}_5 \quad \overline{}_6 \quad \overline{}_7 \quad \overline{}_8 \quad \overline{}_9 \quad \overline{}_{10} \quad \overline{}_{11}$$

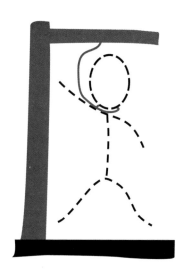

A   B   C   D   E   F   G   H

I   J   K   L   M   N   O   P   Q

R   S   T   U   V   W   X   Y   Z

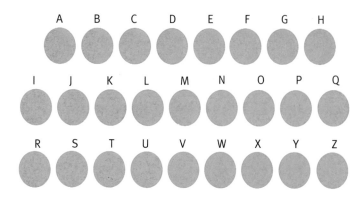

 1   2   3   4   5   6   7   8   9   10   11

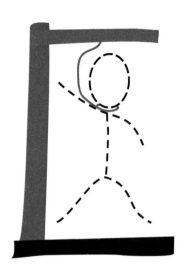

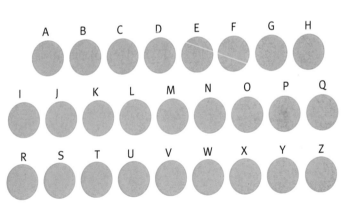

$$\overline{}_1 \quad \overline{}_2 \quad \overline{}_3 \quad \overline{}_4 \quad \overline{}_5 \quad \overline{}_6 \quad \overline{}_7 \quad \overline{}_8 \quad \overline{}_9 \quad \overline{}_{10} \quad \overline{}_{11}$$

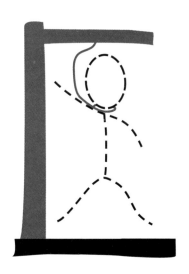

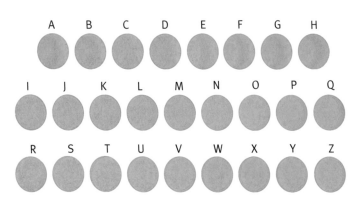

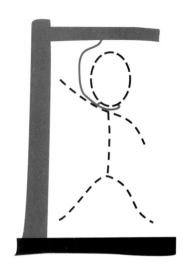

A B C D E F G H

I J K L M N O P Q

R S T U V W X Y Z

$$\overline{}\ \overline{}\ \overline{}\ \overline{}\ \overline{}\ \overline{}\ \overline{}\ \overline{}\ \overline{}\ \overline{}$$

1 2 3 4 5 6 7 8 9 10

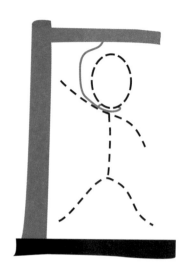

A B C D E F G H

I J K L M N O P Q

R S T U V W X Y Z

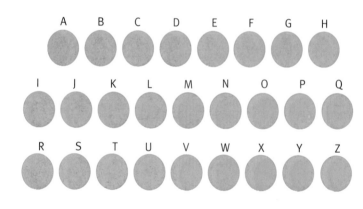

$\overline{}_{1}$ $\overline{}_{2}$ $\overline{}_{3}$ $\overline{}_{4}$ $\overline{}_{5}$ $\overline{}_{6}$ $\overline{}_{7}$ $\overline{}_{8}$ $\overline{}_{9}$ $\overline{}_{10}$ $\overline{}_{11}$

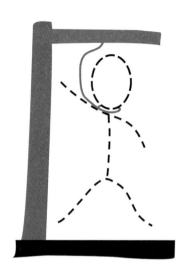

A B C D E F G H

I J K L M N O P Q

R S T U V W X Y Z

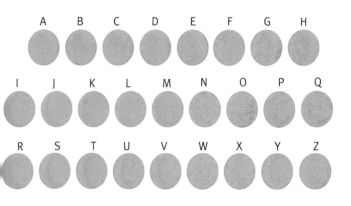

$\overline{}_1$ $\overline{}_2$ $\overline{}_3$ $\overline{}_4$ $\overline{}_5$ $\overline{}_6$ $\overline{}_7$ $\overline{}_8$ $\overline{}_9$ $\overline{}_{10}$

41

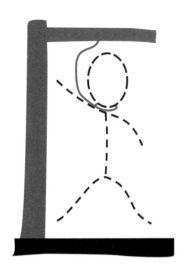

A B C D E F G H

I J K L M N O P Q

R S T U V W X Y Z

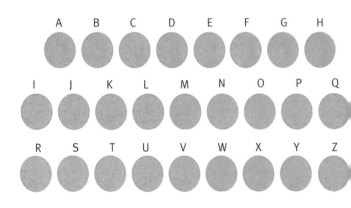

1 2 3 4 5 6 7 8 9 10 11 12

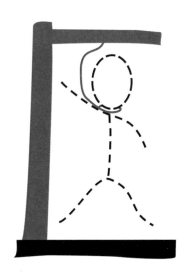

A	B	C	D	E	F	G	H
○	○	○	○	○	○	○	○

I	J	K	L	M	N	O	P	Q
○	○	○	○	○	○	○	○	○

R	S	T	U	V	W	X	Y	Z
○	○	○	○	○	○	○	○	○

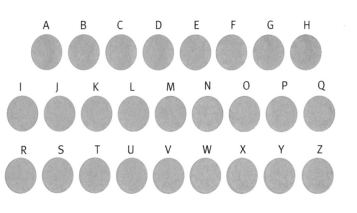

__ __ __ __ __ __   __ __ __ __
1 2 3 4 5 6   7 8 9 10

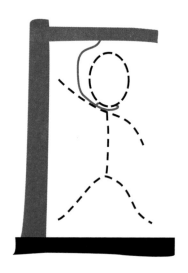

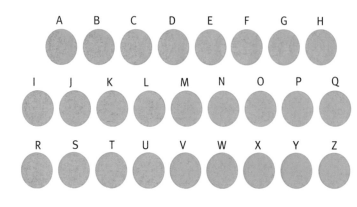

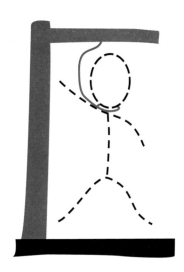

A B C D E F G H

I J K L M N O P Q

R S T U V W X Y Z

$\overline{}_{1}$ $\overline{}_{2}$ $\overline{}_{3}$ $\overline{}_{4}$ $\overline{}_{5}$ $\overline{}_{6}$ $\overline{}_{7}$ $\overline{}_{8}$ $\overline{}_{9}$

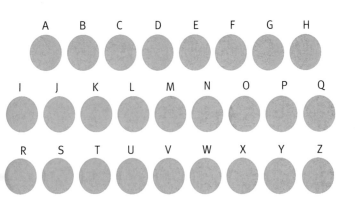

45

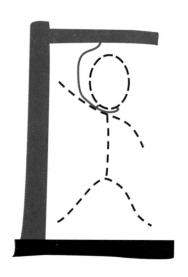

A   B   C   D   E   F   G   H

I   J   K   L   M   N   O   P   Q

R   S   T   U   V   W   X   Y   Z

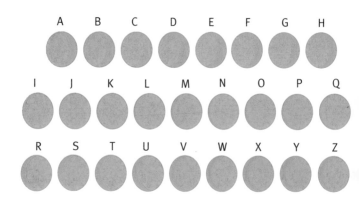

$\overline{}$ $\overline{}$ $\overline{}$ $\overline{}$ $\overline{}$ $\overline{}$ $\overline{}$ $\overline{}$ $\overline{}$

1   2   3   4   5   6   7   8   9

46

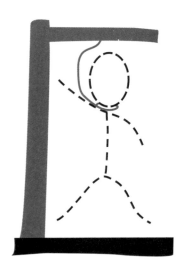

| A | B | C | D | E | F | G | H |

| I | J | K | L | M | N | O | P | Q |

| R | S | T | U | V | W | X | Y | Z |

$$\overline{}_1 \quad \overline{}_2 \quad \overline{}_3 \quad \overline{}_4 \quad \overline{}_5 \quad \overline{}_6 \quad \overline{}_7 \quad \overline{}_8$$

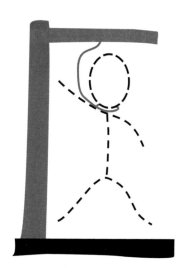

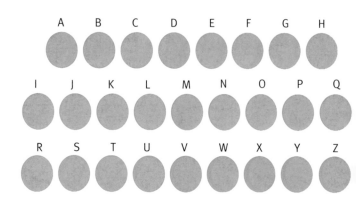

$\overline{}_{1}$ $\overline{}_{2}$ $\overline{}_{3}$ $\overline{}_{4}$ $\overline{}_{5}$ $\overline{}_{6}$ $\overline{}_{7}$

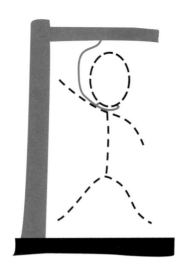

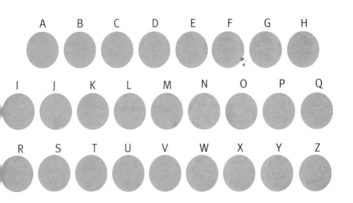

$$\overline{}_1 \ \overline{}_2 \ \overline{}_3 \ \overline{}_4 \ \overline{}_5 \ \overline{}_6 \ \overline{}_7$$

49

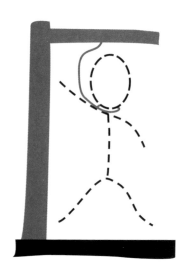

A B C D E F G H

I J K L M N O P Q

R S T U V W X Y Z

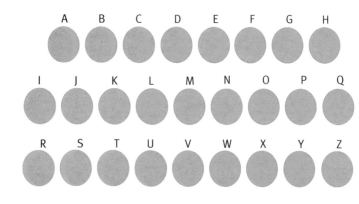

‾1‾ ‾2‾ ‾3‾ ‾4‾   ‾5‾ ‾6‾ ‾7‾ ‾8‾ ‾9‾

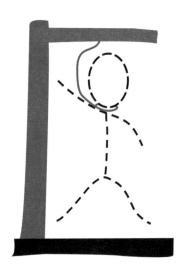

| A | B | C | D | E | F | G | H |

| I | J | K | L | M | N | O | P | Q |

| R | S | T | U | V | W | X | Y | Z |

$$\overline{}_1 \quad \overline{}_2 \quad \overline{}_3 \quad \overline{}_4 \quad \overline{}_5 \quad \overline{}_6 \quad \overline{}_7 \quad \overline{}_8$$

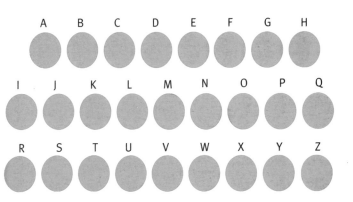

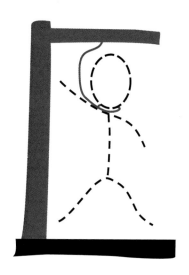

A B C D E F G H

I J K L M N O P Q

R S T U V W X Y Z

$\overline{}_1$ $\overline{}_2$ $\overline{}_3$ $\overline{}_4$ $\overline{}_5$ $\overline{}_6$ $\overline{}_7$ $\overline{}_8$ $\overline{}_9$ $\overline{}_{10}$

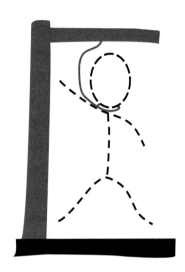

A	B	C	D	E	F	G	H
○	○	○	○	○	○	○	○

I	J	K	L	M	N	O	P	Q
○	○	○	○	○	○	○	○	○

R	S	T	U	V	W	X	Y	Z
○	○	○	○	○	○	○	○	○

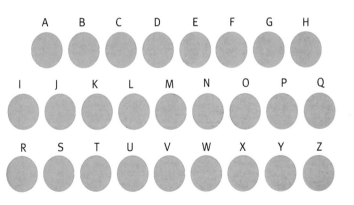

‾1‾ ‾2‾ ‾3‾ ‾4‾ ‾5‾ ‾6‾ ‾7‾ ‾8‾ ‾9‾ ‾10‾

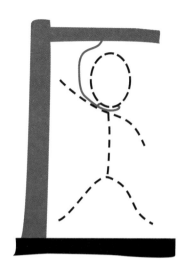

A   B   C   D   E   F   G   H

I   J   K   L   M   N   O   P   Q

R   S   T   U   V   W   X   Y   Z

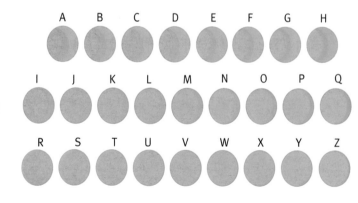

$\overline{}$ $\overline{}$ $\overline{}$ $\overline{}$ $\overline{}$ $\overline{}$ $\overline{}$ $\overline{}$ $\overline{}$ $\overline{}$ $\overline{}$ $\overline{}$
1   2   3   4   5   6   7   8   9   10   11   12

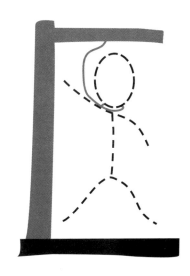

A B C D E F G H

I J K L M N O P Q

R S T U V W X Y Z

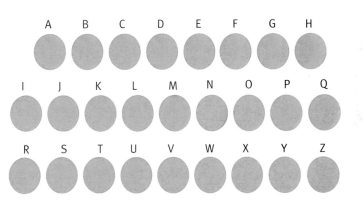

$\overline{1}$ $\overline{2}$ $\overline{3}$ $\overline{4}$ $\overline{5}$ $\overline{6}$ $\overline{7}$

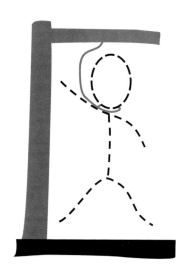

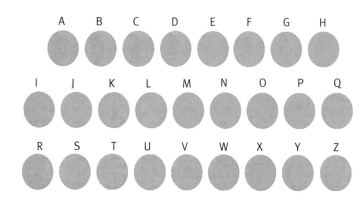

A   B   C   D   E   F   G   H

I   J   K   L   M   N   O   P   Q

R   S   T   U   V   W   X   Y   Z

-

— — — — — — — — — — —
1   2   3   4   5   6   7   8   9   10 11

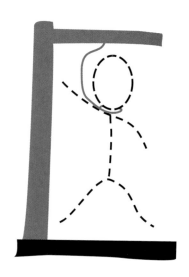

A B C D E F G H

I J K L M N O P Q

R S T U V W X Y Z

$\overline{}$ $\overline{}$ $\overline{}$ $\overline{}$ $\overline{}$ $\overline{}$ $\overline{}$ $\overline{}$ $\overline{}$ $\overline{}$ $\overline{}$ $\overline{}$
1 2 3 4 5 6 7 8 9 10 11 12

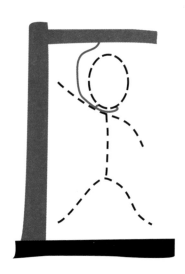

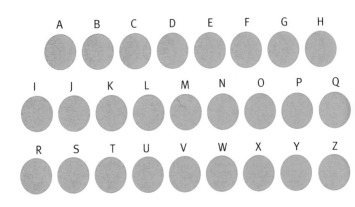

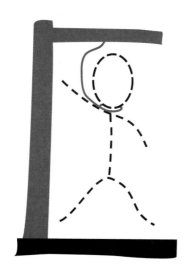

A B C D E F G H
I J K L M N O P Q
R S T U V W X Y Z

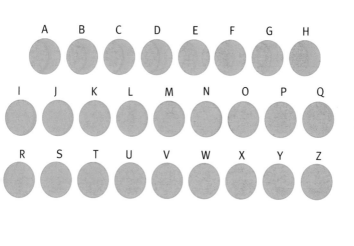

$\overline{}$ $\overline{}$ $\overline{}$ $\overline{}$ $\overline{}$ $\overline{}$ $\overline{}$ $\overline{}$ $\overline{}$ $\overline{}$ $\overline{}$
1 2 3 4 5 6 7 8 9 10 11

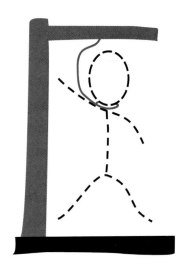

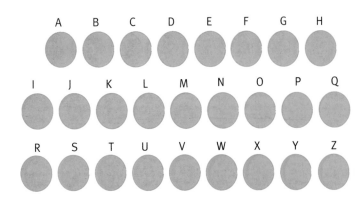

$$\overline{1} \quad \overline{2} \quad \overline{3} \quad \overline{4} \quad \overline{5} \quad \overline{6} \quad \overline{7} \quad \overline{8} \quad \overline{9} \quad \overline{10} \quad \overline{11} \quad \overline{12} \quad \overline{13}$$

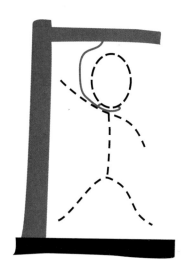

A B C D E F G H

I J K L M N O P Q

R S T U V W X Y Z

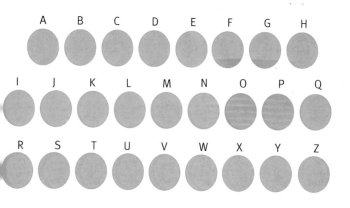

$\overline{}_1$ $\overline{}_2$ $\overline{}_3$ $\overline{}_4$ $\overline{}_5$ $\overline{}_6$ $\overline{}_7$ $\overline{}_8$ $\overline{}_9$ $\overline{}_{10}$

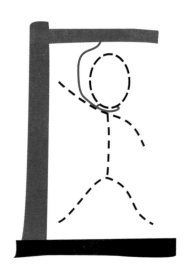

A B C D E F G H
I J K L M N O P Q
R S T U V W X Y Z

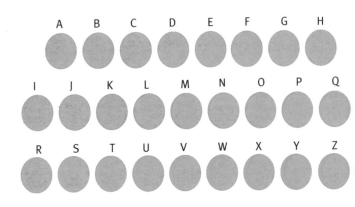

$\overline{}$ $\overline{}$ $\overline{}$ $\overline{}$ $\overline{}$ $\overline{}$ $\overline{}$ $\overline{}$ $\overline{}$
1   2   3   4   5   6   7   8   9

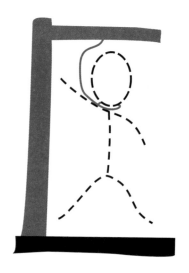

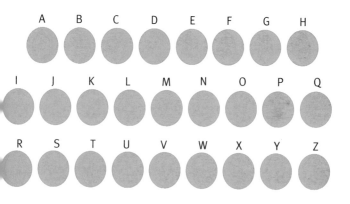

$\overline{}_1$ $\overline{}_2$ $\overline{}_3$ $\overline{}_4$ $\overline{}_5$ $\overline{}_6$ $\overline{}_7$ $\overline{}_8$ $\overline{}_9$ $\overline{}_{10}$ $\overline{}_{11}$ $\overline{}_{12}$

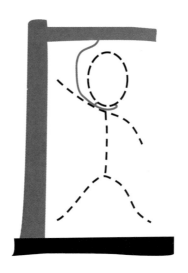

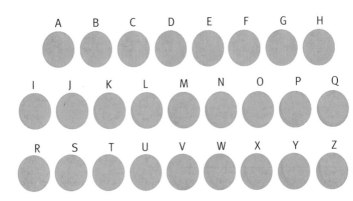

A B C D E F G H

I J K L M N O P Q

R S T U V W X Y Z

— — — — — —   — —   — — — —
1 2 3 4 5 6   7 8   9 10 11 12

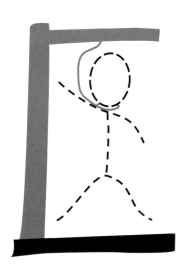

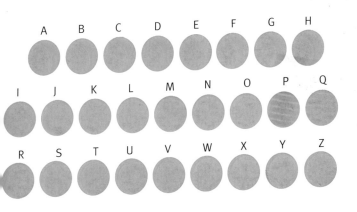

A B C D E F G H
I J K L M N O P Q
R S T U V W X Y Z

$$\overline{}_1 \quad \overline{}_2 \quad \overline{}_3 \quad \overline{}_4 \quad \overline{}_5 \quad - \quad \overline{}_6 \quad \overline{}_7 \quad \overline{}_8 \quad \overline{}_9 \quad \overline{}_{10}$$

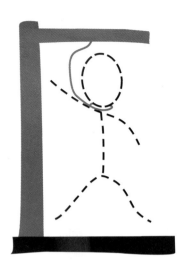

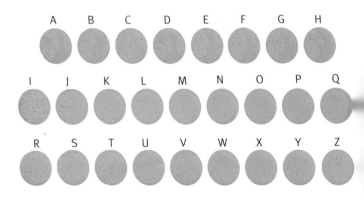

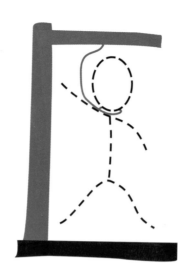

A B C D E F G H
I J K L M N O P Q
R S T U V W X Y Z

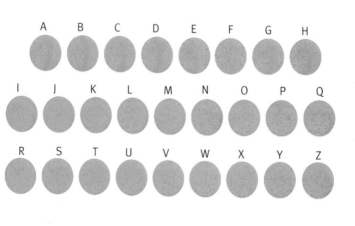

$\overline{}$ $\overline{}$ $\overline{}$ $\overline{}$ $\overline{}$ $\overline{}$ $\overline{}$ $\overline{}$ $\overline{}$
1　2　3　4　5　6　7　8　9

67

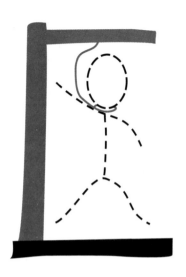

A B C D E F G H

I J K L M N O P Q

R S T U V W X Y Z

$\overline{\ \ }$ $\overline{\ \ }$ $\overline{\ \ }$ $\overline{\ \ }$
1 2 3 4

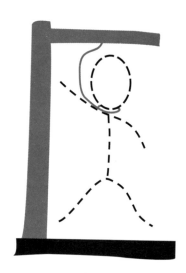

A B C D E F G H

I J K L M N O P Q

R S T U V W X Y Z

$\overline{}$ $\overline{}$ $\overline{}$ $\overline{}$ $\overline{}$ $\overline{}$ $\overline{}$ $\overline{}$ $\overline{}$ $\overline{}$
1 2 3 4 5 6 7 8 9 10

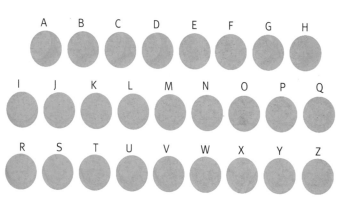

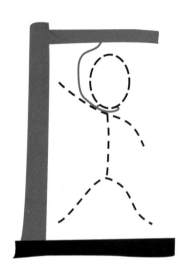

A B C D E F G H

I J K L M N O P Q

R S T U V W X Y Z

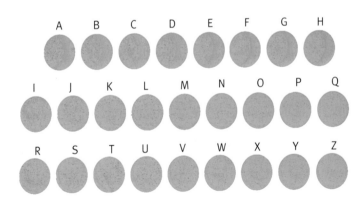

$\overline{1}$ $\overline{2}$ $\overline{3}$ $\overline{4}$ $\overline{5}$ $\overline{6}$ $\overline{7}$

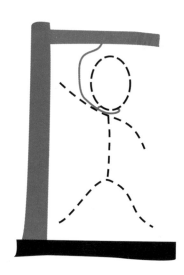

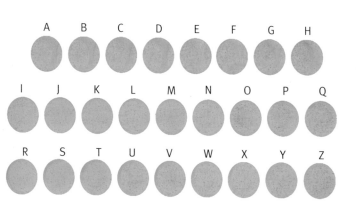

$\overline{}_{1}$ $\overline{}_{2}$ $\overline{}_{3}$ $\overline{}_{4}$ $\overline{}_{5}$ $\overline{}_{6}$ $\overline{}_{7}$ $\overline{}_{8}$ $\overline{}_{9}$ $\overline{}_{10}$

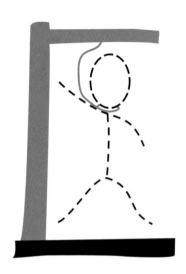

A   B   C   D   E   F   G   H

I   J   K   L   M   N   O   P   Q

R   S   T   U   V   W   X   Y   Z

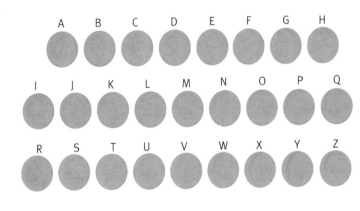

$$\overline{}\ \overline{}\ \overline{}\ \overline{}\ \overline{}\ \overline{}\ \overline{}\ \overline{}\ \overline{}$$

1   2   3   4   5   6   7   8   9

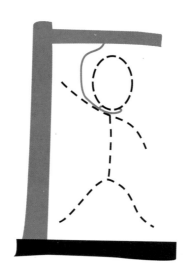

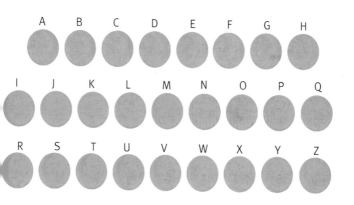

A B C D E F G H

I J K L M N O P Q

R S T U V W X Y Z

$\overline{}$ $\overline{}$ $\overline{}$ $\overline{}$ $\overline{}$ $\overline{}$ $\overline{}$ $\overline{}$ $\overline{}$
1 2 3 4 5 6 7 8 9

73

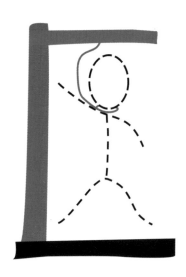

A B C D E F G H

I J K L M N O P Q

R S T U V W X Y Z

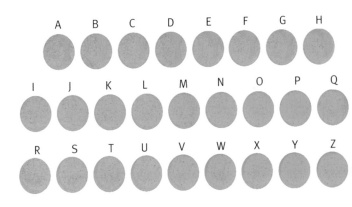

——— ——— ——— ——— ——— ———
 1   2   3   4   5   6

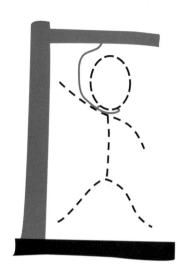

A   B   C   D   E   F   G   H

I   J   K   L   M   N   O   P   Q

R   S   T   U   V   W   X   Y   Z

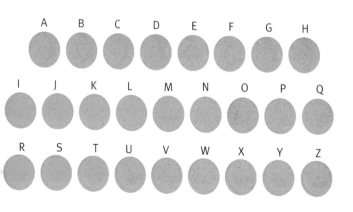

<u>   </u> <u>   </u> <u>   </u> <u>   </u> <u>   </u> <u>   </u> <u>   </u> <u>   </u> <u>   </u>
 1   2   3   4   5   6   7   8   9

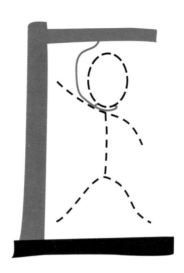

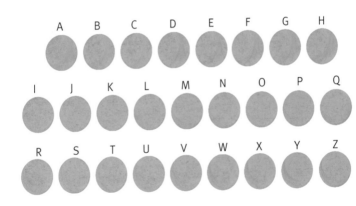

$\overline{}_{1}$ $\overline{}_{2}$ $\overline{}_{3}$ $\overline{}_{4}$ $\overline{}_{5}$ $\overline{}_{6}$

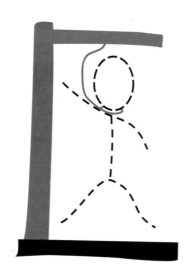

A B C D E F G H

I J K L M N O P Q

R S T U V W X Y Z

$\overline{}$ $\overline{}$ $\overline{}$ $\overline{}$ $\overline{}$ $\overline{}$ $\overline{}$ $\overline{}$
1 2 3 4 5 6 7 8

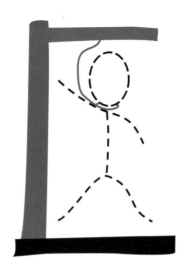

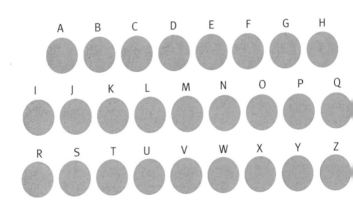

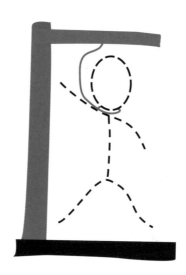

A B C D E F G H
I J K L M N O P Q
R S T U V W X Y Z

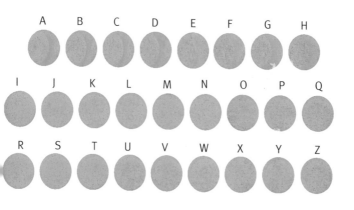

$$\overline{}_{1} \quad \overline{}_{2} \quad \overline{}_{3} \quad \overline{}_{4} \quad \overline{}_{5} \quad \overline{}_{6} \quad \overline{}_{7} \quad \overline{}_{8} \quad \overline{}_{9}$$

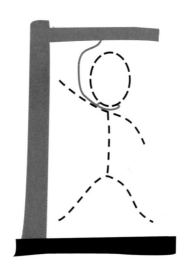

A B C D E F G H

I J K L M N O P Q

R S T U V W X Y Z

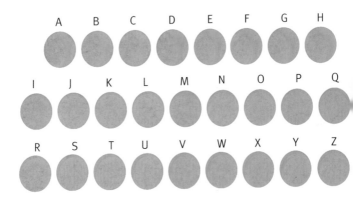

$\overline{}_1$ $\overline{}_2$ $\overline{}_3$ $\overline{}_4$ $\overline{}_5$ $\overline{}_6$ $\overline{}_7$ $\overline{}_8$ $\overline{}_9$ $\overline{}_{10}$ $\overline{}_{11}$

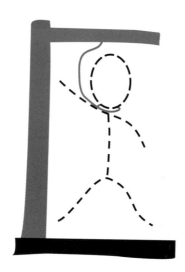

A B C D E F G H
I J K L M N O P Q
R S T U V W X Y Z

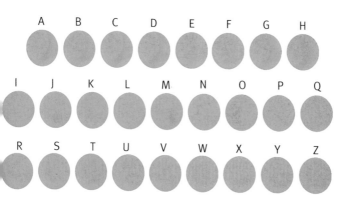

$\overline{}$ $\overline{}$ $\overline{}$ $\overline{}$ $\overline{}$ $\overline{}$
1 2 3 4 5 6

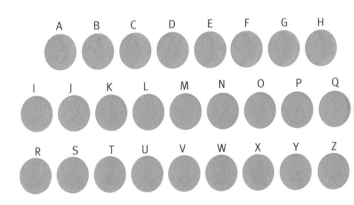

$$\overline{}_1 \quad \overline{}_2 \quad \overline{}_3 \quad \overline{}_4 \quad \overline{}_5 \quad \overline{}_6 \quad \overline{}_7 \quad \overline{}_8 \quad \overline{}_9$$

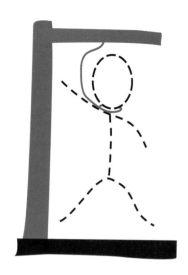

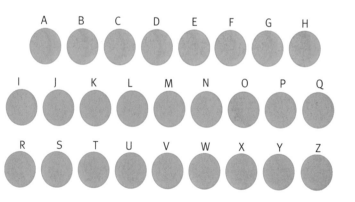

$\overline{}_{1}$ $\overline{}_{2}$ $\overline{}_{3}$ $\overline{}_{4}$ $\overline{}_{5}$ $\overline{}_{6}$

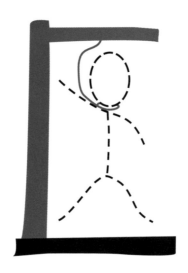

A B C D E F G H

I J K L M N O P Q

R S T U V W X Y Z

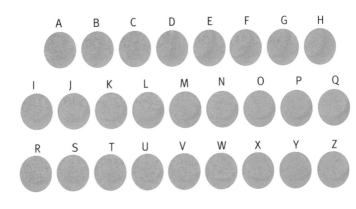

$\overline{\quad}$ $\overline{\quad}$ $\overline{\quad}$ $\overline{\quad}$ $\overline{\quad}$ $\overline{\quad}$ $\overline{\quad}$ $\overline{\quad}$ $\overline{\quad}$
1 2 3 4 5 6 7 8 9

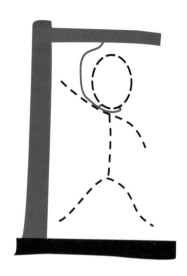

A   B   C   D   E   F   G   H

I   J   K   L   M   N   O   P   Q

R   S   T   U   V   W   X   Y   Z

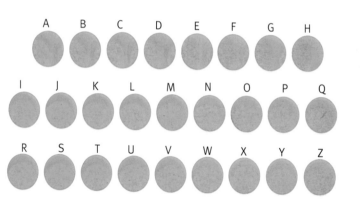

$\overline{\quad}$ $\overline{\quad}$ $\overline{\quad}$ $\overline{\quad}$ $\overline{\quad}$ $\overline{\quad}$ $\overline{\quad}$ $\overline{\quad}$ $\overline{\quad}$ $\overline{\quad}$
1   2   3   4   5   6   7   8   9   10

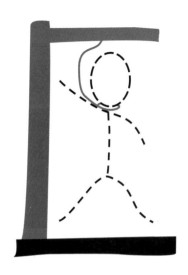

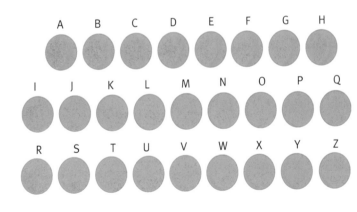

$$\overline{}_{1} \quad \overline{}_{2} \quad \overline{}_{3} \quad \overline{}_{4} \quad \overline{}_{5} \quad \overline{}_{6} \quad \overline{}_{7} \quad \overline{}_{8}$$

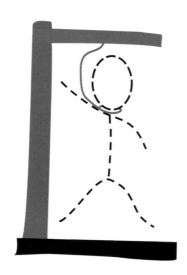

A   B   C   D   E   F   G   H

I   J   K   L   M   N   O   P   Q

R   S   T   U   V   W   X   Y   Z

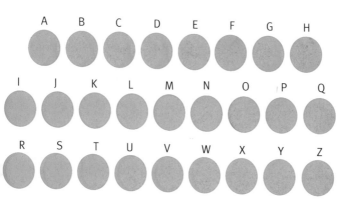

$\overline{1}$ $\overline{2}$ $\overline{3}$ $\overline{4}$ $\overline{5}$ $\overline{6}$ $\overline{7}$ $\overline{8}$ $\overline{9}$ $\overline{10}$

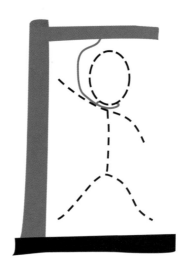

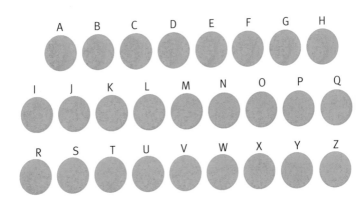

$$\overline{}_1 \quad \overline{}_2 \quad \overline{}_3 \quad \overline{}_4 \quad \overline{}_5 \quad \overline{}_6 \quad \overline{}_7 \quad \overline{}_8 \quad \overline{}_9$$

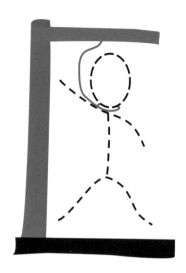

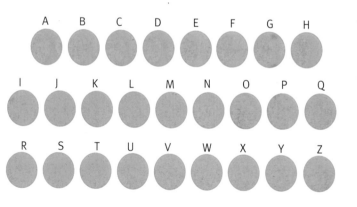

$$\overline{}_1 \ \overline{}_2 \ \overline{}_3 \ \overline{}_4 \ \overline{}_5 \ \overline{}_6$$

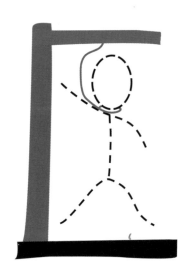

A   B   C   D   E   F   G   H

I   J   K   L   M   N   O   P   Q

R   S   T   U   V   W   X   Y   Z

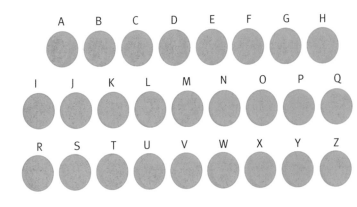

$\overline{\quad}$ $\overline{\quad}$ $\overline{\quad}$ $\overline{\quad}$ $\overline{\quad}$ $\overline{\quad}$ $\overline{\quad}$
1   2   3   4   5   6   7

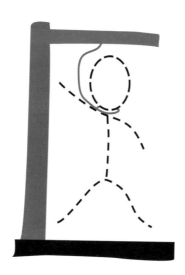

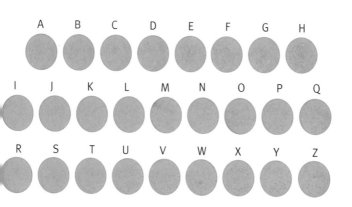

$\overline{}_1$ $\overline{}_2$ $\overline{}_3$ $\overline{}_4$ $\overline{}_5$ $\overline{}_6$ $\overline{}_7$ $\overline{}_8$

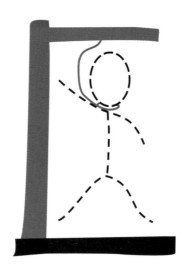

A B C D E F G H

I J K L M N O P Q

R S T U V W X Y Z

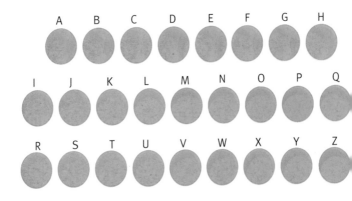

$\overline{}_1 \ \overline{}_2 \ \overline{}_3 \ \overline{}_4 \ \overline{}_5$

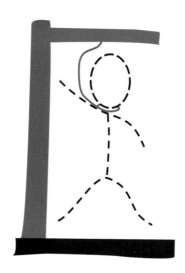

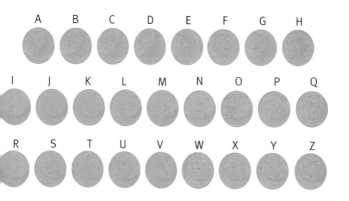

$$\overline{}_1 \quad \overline{}_2 \quad \overline{}_3 \quad \overline{}_4 \quad \overline{}_5 \quad \overline{}_6 \quad \overline{}_7$$

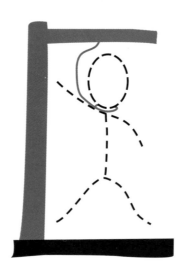

A B C D E F G H

I J K L M N O P Q

R S T U V W X Y Z

$\overline{\ \ }$ $\overline{\ \ }$ $\overline{\ \ }$ $\overline{\ \ }$ $\overline{\ \ }$ $\overline{\ \ }$ $\overline{\ \ }$
1 2 3 4 5 6 7

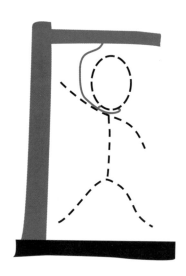

A B C D E F G H

I J K L M N O P Q

R S T U V W X Y Z

$\overline{}\ \overline{}\ \overline{}\ \overline{}\ \overline{}\ \overline{}\ \overline{}\ \overline{}\ \overline{}$
1 2 3 4 5 6 7 8 9

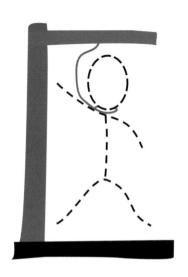

A B C D E F G H
I J K L M N O P Q
R S T U V W X Y Z

$\overline{}_1 \overline{}_2 \overline{}_3 \overline{}_4 \overline{}_5$

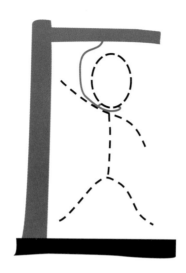

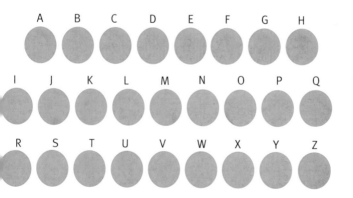

$$\overline{}_{1} \quad \overline{}_{2} \quad \overline{}_{3} \quad \overline{}_{4} \quad \overline{}_{5} \quad \overline{}_{6} \quad \overline{}_{7}$$

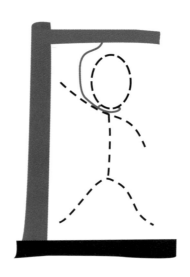

A B C D E F G H
I J K L M N O P Q
R S T U V W X Y Z

$\overline{}\ \overline{}\ \overline{}\ \overline{}\ \overline{}\ \overline{}\ \overline{}\ \overline{}$
1 2 3 4 5 6 7 8

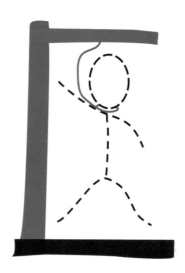

A   B   C   D   E   F   G   H

I   J   K   L   M   N   O   P   Q

R   S   T   U   V   W   X   Y   Z

$\overline{}$ $\overline{}$ $\overline{}$ $\overline{}$ $\overline{}$ $\overline{}$
1   2   3   4   5   6

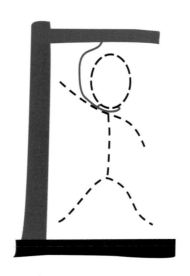

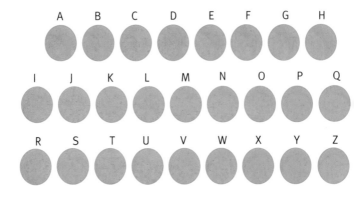

$\overline{}_{1}$ $\overline{}_{2}$ $\overline{}_{3}$ $\overline{}_{4}$ $\overline{}_{5}$ $\overline{}_{6}$ $\overline{}_{7}$

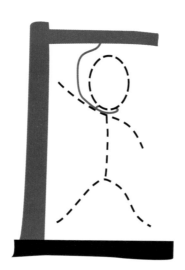

A B C D E F G H

I J K L M N O P Q

R S T U V W X Y Z

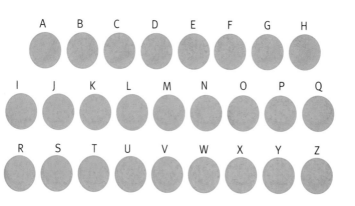

$\overline{}$ $\overline{}$ $\overline{}$ $\overline{}$ $\overline{}$ $\overline{}$ $\overline{}$ $\overline{}$
1 2 3 4 5 6 7 8

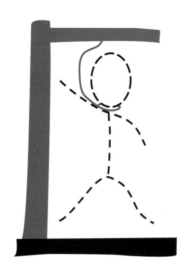

A B C D E F G H

I J K L M N O P Q

R S T U V W X Y Z

$$\overline{}_{1} \quad \overline{}_{2} \quad \overline{}_{3} \quad \overline{}_{4} \quad \overline{}_{5} \quad \overline{}_{6} \quad \overline{}_{7} \quad \overline{}_{8}$$

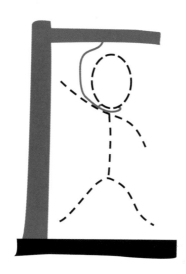

A B C D E F G H

I J K L M N O P Q

R S T U V W X Y Z

$\overline{}$ $\overline{}$ $\overline{}$ $\overline{}$ $\overline{}$ $\overline{}$ $\overline{}$
1 2 3 4 5 6 7

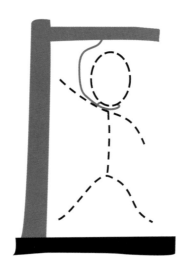

A B C D E F G H

I J K L M N O P Q

R S T U V W X Y Z

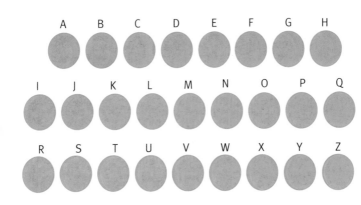

$\overline{\quad}$ $\overline{\quad}$ $\overline{\quad}$ $\overline{\quad}$ $\overline{\quad}$ $\overline{\quad}$
1 2 3 4 5 6

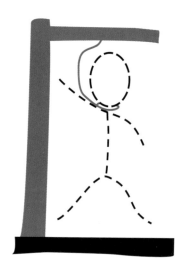

A   B   C   D   E   F   G   H

I   J   K   L   M   N   O   P   Q

R   S   T   U   V   W   X   Y   Z

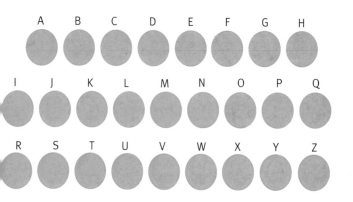

$\overline{}_1$ $\overline{}_2$ $\overline{}_3$ $\overline{}_4$ $\overline{}_5$ $\overline{}_6$

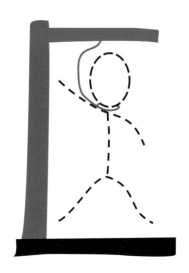

A B C D E F G H

I J K L M N O P Q

R S T U V W X Y Z

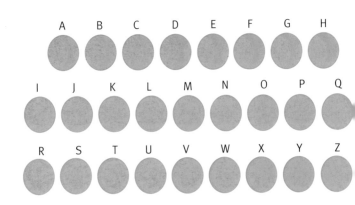

$\overline{}$ $\overline{}$ $\overline{}$ $\overline{}$ $\overline{}$ $\overline{}$
 1   2   3   4   5   6

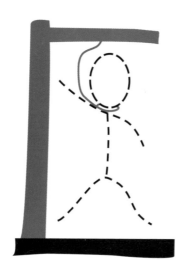

A	B	C	D	E	F	G	H
○	○	○	○	○	○	○	○

I	J	K	L	M	N	O	P	Q
○	○	○	○	○	○	○	○	○

R	S	T	U	V	W	X	Y	Z
○	○	○	○	○	○	○	○	○

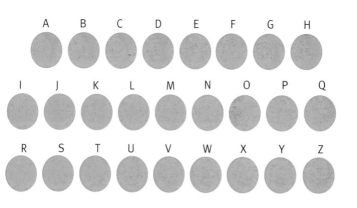

‾1 ‾2 ‾3 ‾4 ‾5 ‾6 ‾7 ‾8 ‾9

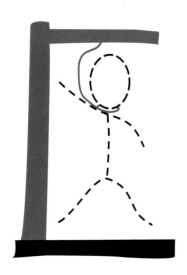

A B C D E F G H

I J K L M N O P Q

R S T U V W X Y Z

$\overline{}_{1}$ $\overline{}_{2}$ $\overline{}_{3}$ $\overline{}_{4}$ $\overline{}_{5}$ $\overline{}_{6}$ $\overline{}_{7}$ $\overline{}_{8}$ $\overline{}_{9}$

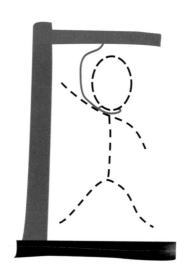

A   B   C   D   E   F   G   H

I   J   K   L   M   N   O   P   Q

R   S   T   U   V   W   X   Y   Z

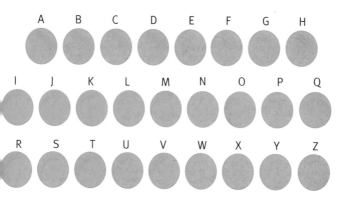

$$\overline{1}\ \ \overline{2}\ \ \overline{3}\ \ \overline{4}\ \ \overline{5}\ \ \overline{6}\ \ \overline{7}$$

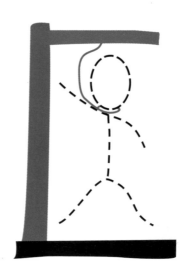

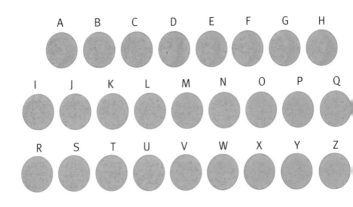

$$\overline{}_1 \quad \overline{}_2 \quad \overline{}_3 \quad \overline{}_4 \quad \overline{}_5 \quad \overline{}_6 \quad \overline{}_7 \quad \overline{}_8$$

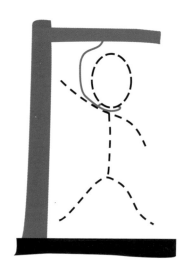

A B C D E F G H

I J K L M N O P Q

R S T U V W X Y Z

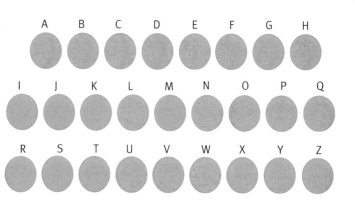

$\overline{}$ $\overline{}$ $\overline{}$ $\overline{}$ $\overline{}$ $\overline{}$ $\overline{}$ $\overline{}$
 1   2   3   4   5   6   7   8

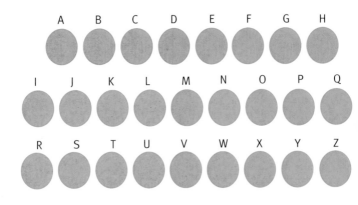

A   B   C   D   E   F   G   H

I   J   K   L   M   N   O   P   Q

R   S   T   U   V   W   X   Y   Z

$\overline{}$ $\overline{}$ $\overline{}$ $\overline{}$ $\overline{}$ $\overline{}$ $\overline{}$ $\overline{}$ $\overline{}$ $\overline{}$
1   2   3   4   5   6   7   8   9   10

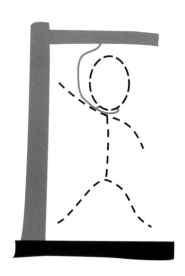

A B C D E F G H

I J K L M N O P Q

R S T U V W X Y Z

$\overline{\quad}$ $\overline{\quad}$ $\overline{\quad}$ $\overline{\quad}$ $\overline{\quad}$ $\overline{\quad}$ $\overline{\quad}$ $\overline{\quad}$
1 2 3 4 5 6 7 8

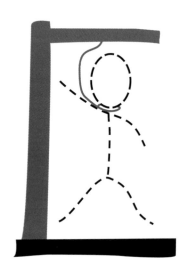

A B C D E F G H
I J K L M N O P Q
R S T U V W X Y Z

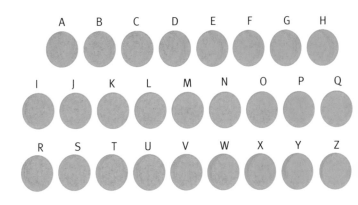

$\overline{}_{1}$ $\overline{}_{2}$ $\overline{}_{3}$ $\overline{}_{4}$ $\overline{}_{5}$ $\overline{}_{6}$ $\overline{}_{7}$

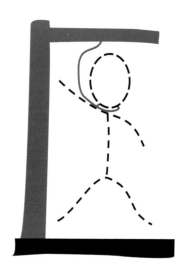

A B C D E F G H
I J K L M N O P Q
R S T U V W X Y Z

$\overline{}$ $\overline{}$ $\overline{}$ $\overline{}$ $\overline{}$ $\overline{}$
 1   2   3   4   5   6

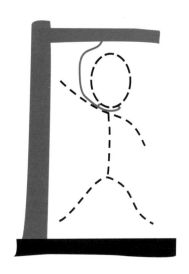

A B C D E F G H

I J K L M N O P Q

R S T U V W X Y Z

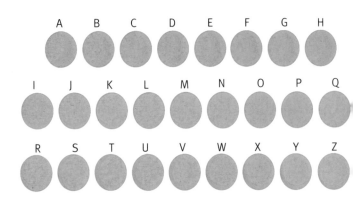

$\overline{}$ $\overline{}$ $\overline{}$ $\overline{}$ $\overline{}$ $\overline{}$ $\overline{}$
1 2 3 4 5 6 7

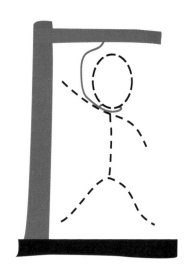

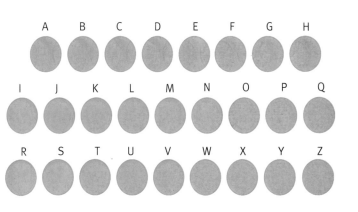

$$\overline{} \quad \overline{} \quad \overline{} \quad \overline{} \quad \overline{} \quad \overline{} \quad \overline{}$$
1   2   3   4   5   6   7

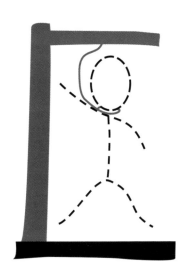

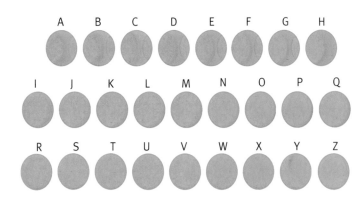

$$\overline{}\ \overline{}\ \overline{}\ \overline{}\ \overline{}\ \overline{}$$
1 2 3 4 5 6

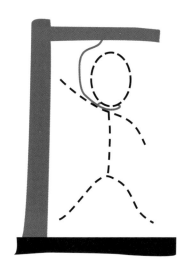

A B C D E F G H

I J K L M N O P Q

R S T U V W X Y Z

$$\overline{} \ \overline{} \ \overline{} \ \overline{} \ \overline{} \ \overline{} \ \overline{} \ \overline{}$$
1 2 3 4 5 6 7 8

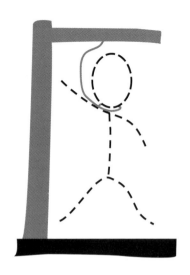

A   B   C   D   E   F   G   H

I   J   K   L   M   N   O   P   Q

R   S   T   U   V   W   X   Y   Z

$\overline{}$ $\overline{}$ $\overline{}$ $\overline{}$ $\overline{}$ $\overline{}$ $\overline{}$ $\overline{}$ $\overline{}$
1   2   3   4   5   6   7   8   9

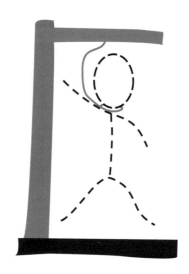

A B C D E F G H

I J K L M N O P Q

R S T U V W X Y Z

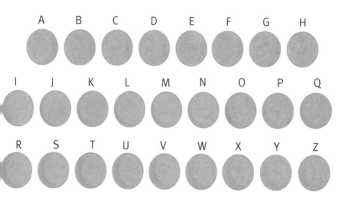

$$\overline{}_1 \quad \overline{}_2 \quad \overline{}_3 \quad \overline{}_4 \quad \overline{}_5 \quad \overline{}_6 \quad \overline{}_7 \quad \overline{}_8$$

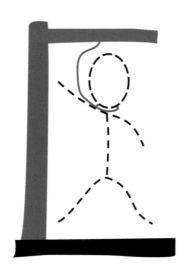

A   B   C   D   E   F   G   H

I   J   K   L   M   N   O   P   Q

R   S   T   U   V   W   X   Y   Z

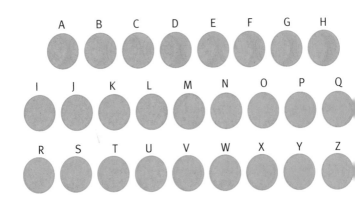

1   2   3   4   5   6   7   8

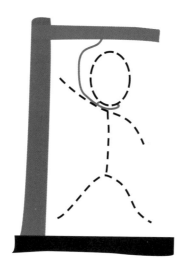

| A | B | C | D | E | F | G | H |

| I | J | K | L | M | N | O | P | Q |

| R | S | T | U | V | W | X | Y | Z |

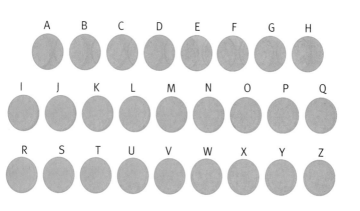

$$\overline{}\ \overline{}\ \overline{}\ \overline{}\ \overline{}\ \overline{}\ \overline{}\ \overline{}\ \overline{}$$

1 2 3 4 5 6 7 8 9

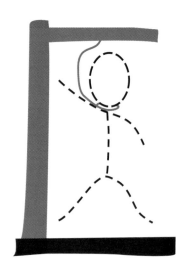

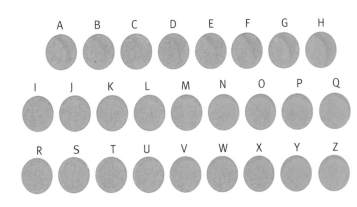

$$\overline{}_1 \quad \overline{}_2 \quad \overline{}_3 \quad \overline{}_4 \quad \overline{}_5 \quad \overline{}_6$$

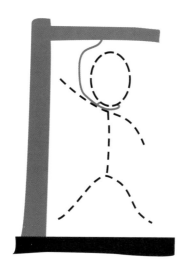

A B C D E F G H

I J K L M N O P Q

R S T U V W X Y Z

 ‾   ‾   ‾   ‾   ‾
 1   2   3   4   5

BON DE COMMANDE

Qté	Titre	Prix (taxe incluse)		Total
		Canada	Europe	
	Bonhomme pendu N°1	6,95 $	4,95 €	
	Bonhomme pendu N°2	6,95 $	4,95 €	
	Bonhomme pendu N°3	6,95 $	4,95 €	
	Bonhomme pendu N°4	6,95 $	4,95 €	
	Mots croisés faciles	4,95 $	3,95 €	
	Mots cachés captivants	4,95 $	3,95 €	
	Casse-têtes énigmatiques	4,95 $	3,95 €	
	Nombres croisés captivants	4,95 $	3,95 €	
	Sommes croisées captivantes	4,95 $	3,95 €	
	Labyrinthes 101	4,95 $	3,95 €	
	Casse-têtes mathématiques	4,95 $	3,95 €	
	Énigmes de pensée latérale	4,95 $	3,95 €	
	Exercez vos neurones	4,95 $	3,95 €	
	Testez votre logique	4,95 $	3,95 €	
			Total partiel	
	Frais de livraison	3,50 $	1 livre : 5,00 € 2 livres : 7,00 € 3 livres : 9,00 € 4 livres : 11,00 € 5 livres et plus : 13,00 €	
			Prix total	

BON DE COMMANDE

Nom _____

Adresse _____ App. _____

Ville _____

Pays _____

Code postal _____

Nº de téléphone _____

S.V.P. Envoyez-moi le(s) livre(s) mentionné(s) à la page précédente.

Je joins _____ **$ ou** _____ €

Faites parvenir votre chèque ou mandat-poste à :

Les Publications Modus Vivendi Inc.
55, rue Jean-Talon Ouest, 2e étage
Montréal (Québec) H2R 2W8
Canada

Vous pouvez également payer par carte de crédit :

☐ Visa   ☐ MasterCard   ☐ Amex   Date d'expiration : | | |

Nº de la carte | | | | | | | | | | | | | | | | |

Signature _____

Nom (lettres carrées) _____

Vous pouvez aussi commander :

par téléphone : 514 272-0433
par télécopieur : 514 272-7234
par Internet : www.editionsbravo.com